日本髪型

伝統の美　櫛まつり作品集

Traditional Japanese Coiffures

京都美容文化クラブ

JN281516

まえがき

頭上に結い上げる美しい髪型、古墳時代より現代に至る種々の結髪様式は、江戸時代においては百五十種にものぼったと言われています。

その土台を成すところは前髪、鬢、髱、髷など四つです。髪をどのように束ね、どのようにして、あんな美しい髪型になるのか分からなかったのですが、幸いに私は昭和四年から吉川観方先生について絵を習っておりましたので、先生が主宰されていた故実研究会で写生が必ず毎月ありました。その時に、モデルさんの髪を南ちゑ師、並びに他のお師匠さんが結髪されるのを見せてもらい大変勉強になりました。昭和十四、五年頃だったと思います。上村松園、伊藤小坡、勝田哲、福田恵一などの諸先生方の顔も見えておりました。その後戦争になり、世の中が厳しくなりまして写生会も中止になりました。

戦後、昭和三十六年九月に美容文化クラブの人達によって櫛塚を安井金比羅宮に建立され、使い古した櫛など、感謝の誠を捧げる櫛供養が行われるようになりました。その時、時代風俗の着付と結髪を披露され、古墳時代から現代の舞妓姿までの時代女人風俗行列が東大路や四条通りなどであでやかに練り歩き、一般の方々にも見てもらうようになりました。今日では京都美容文化クラブ会長の南登美子師初め、会員の方々がその後を継がれ、熱心な研究と努力が積み重ねられてきました。研究は、どこまでも「かづら」は使用せず、地髪で結い上げることが基本であり大きな特徴でもあります。国内唯一の結い上げ技術を誇って、その時代その時代の姿を再現できることは日本女装史の生きた遺産であり、貴重な価値があると信ずるもので、将来に伝えていく上に貢献するところが多大であると思います。

いつまでも続けて行われていかれることを祈ります。

河村長観

目次

協力
株式会社じゅらく
平安講社
ＴＥＩＯコレクション
東映

表紙
河村長観　筆

櫛まつり

「櫛に感謝する心を」ということから昭和三十六年九月四日に風俗研究家の故・吉川観方氏の協力のもとに、多くの美容家によって櫛供養が行われたのが始まりで、翌年には京都・東山安井にある安井金比羅宮境内に久志塚（櫛塚）が建立されました。

以来、時代風俗の着付けと結髪の正しい伝承を目的として京都美容文化クラブが設立され、櫛まつり実行委員会を置いて運営に当たっています。

毎年九月第四月曜日に行われるこの櫛まつりは、地毛で結い上げられた伝統の髪型と時代風俗に装った女性が、櫛供養式典のあと祇園界隈を優美に練り歩き、京都を訪れる観光客や外国人にも好評を博しています。

久志塚（櫛塚）

櫛奉納

櫛いろいろ

収払

献花

古墳時代　島田髷《しまだまげ》

古墳時代　美豆良《みずら》

古墳時代

樹下美人

奈良時代　双髻《そうけい》

平安時代

平安時代　白拍《しらびょう》子《し》

鎌倉時代　虫《むし》の垂衣《たれぎぬ》

室町時代　巻髪《まきがみ》

室町時代　巻髪《まきがみ》

桃山時代　唐輪《からわ》

桃山時代

江戸時代前期　笄髷《こうがいまげ》

江戸時代前期

江戸時代中期　丸髷《まるまげ》

江戸時代中期

江戸時代後期

江戸時代後期　おしどり

江戸時代後期

江戸時代後期

明治時代　揚《あ》げ巻《ま》き

明治時代　稚《ち》児《ご》髷《まげ》

大正時代　桃《もも》割《わ》れ

大正時代　束髪《そくはつ》

昭和時代　新日本髪

昭和時代　新日本髪

現代舞妓

現代舞妓　奴島田《やっこしまだ》

現代舞妓　勝山《かつやま》

現代舞妓

古墳時代

300〜709年

およそ四世紀から八世紀初頭にかけてがこの期で髪型は『古事記』『日本書紀』『風土記』以下の文献の他に、埴輪《はにわ》によって考証されていることが多く、古代の風俗は埴輪から見られることに示されています。

推古天皇十五年、聖徳太子が小野妹子を隋《ずい》に遣《つか》わし、隋の長所を採り入れて制度を整備したので従来の風俗は隋風に更に唐風にと進展していきました。

1 古墳時代◆美豆良（みずら）

作―宮崎しずの　モデル―白杉知久・粟津彰大

男子の髪型は、垂髪《すいはつ》、美豆良《みずら》、頂髪《たぎふさ》の三種類があり、この写真は「美豆良」を結ったもので、髪を頭の中央で左右に分けて束ね、耳の辺からいちど首近くまで下ろし、又その余りを上げ、髻《けい》を作ってその中央を残りの毛先又は紐で結び、上下に輪を作るものです。束ね方には二つの種類があり、輪を一つ作るものと二つの輪を作るものがあり、垂らした髪を大きく折り返して上げ、毛先で髻の中央を結び、縛《しば》って止められているものです。

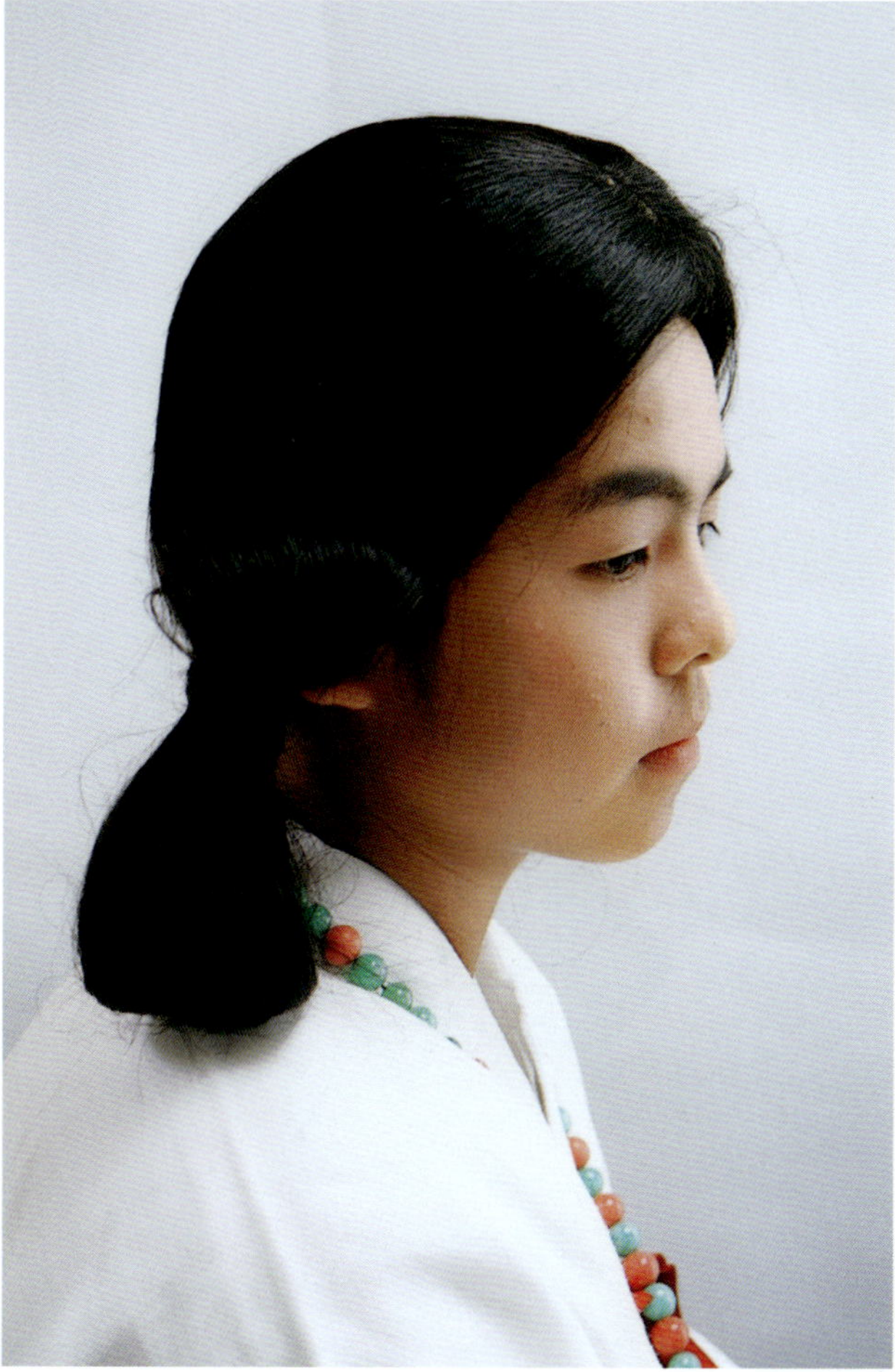

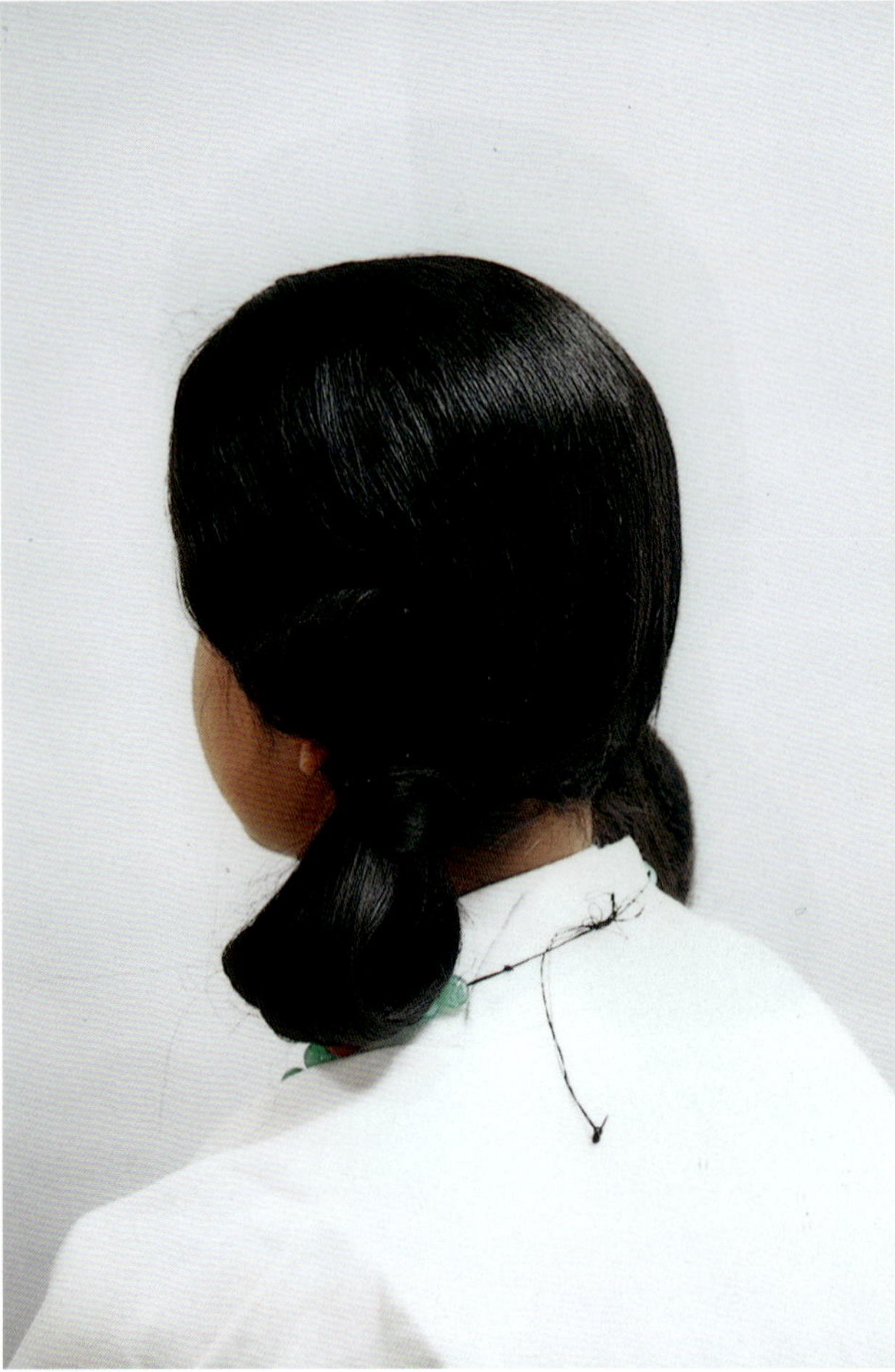

2 古墳時代◆島田髷（しまだまげ）

作―西村幸枝　モデル―松田美保

神代以降の女子の髪型を古史と埴輪《はにわ》とによって見れば、垂髪《すいはつ》、一髻《いっけい》、二髻《にけい》、島田、小二髻《しょうにけい》、断髪《だんぱつ》の六種類ありますが、この髪は「島田髷」で頭頂部に髪を平たく畳んで束ねたものです。この髪型を示した埴輪は、島田髷《まげ》に似た古代の結髪として伝わり、島田髷の原点とも言えるもので髱《つと》や鬢《びん》などの区別の全くないとても素朴な髪型です。飾り物も日《ひ》蔭蔓《かげのかずら》を頭のまわりに巻くくらいで正装のときでも草木の枝葉をまとう程度だと思われます。

奈良時代

710〜793年

古墳時代以来、髪型も多少の変化が見られましたが、根本的な大変革はなかったようです。

一髻《いっけい》（高髻《こうけい》、一つもどり）、二《に》髻《けい》（双髻《そうけい》、銀杏返し）もこの頃の傾向です。

3 奈良時代◆樹下美人（じゅかびじん）

作―夏地博子　モデル―植西悦子

顔の左右両側に長く垂れ下げ、また上方にとき上げ頭頂部で一髻《いっけい》にして束ねてあり、更に後ろの髪を垂らし、また上に上げ頭頂部に向かって集めて根に巻きおさめています。

これは正倉院御物の「鳥毛立女屏風《とりげりゅうじょびょうぶ》」の樹下美人画に倣った作品で、中央と左右に挿しているのが「花鈿《かでん》」という象牙に彩色が施された花形のかんざしで、額や口の左右には「花子《かし》」とよばれる文様を紅で描かれているのが特徴です。

4 奈良時代◆高髷（こうけい）

作―中蔵恵美　モデル―阿江より子

奈良時代の貴婦人の髪型です。鬢《びん》にあたる左右の部分を残し、後頭部を高々と一束にとき上げ双鬟《そうかん》形にして残りの毛先で根元を十文字に巻きます。鬢をとき下げ肩に触れる程度で折り返してくくり、耳のあたりを赤紙で包みます。当時の壁画や絵画に倣った作品で、中央と左右に挿し、髷には象牙の花かんざしを三本、中央と左右には黄楊《つげ》の櫛を三本挿しています。「花鈿《かでん》」「花子《かし》」の文様も描かれています。

5 奈良時代◆高　髻（こうけい）

作─酒谷恵子　モデル─原田和香子

6 奈良時代◆双髻（そうけい）

作―山田真子　モデル―米田尚子

高髻《こうけい》と同じく貴婦人の髪型です。奈良時代は唐の影響のもとに、様々な文化や風俗が取り入れられましたが、この髪型は唐代の女性の俑《よう》（死者とともに副葬する陶製の人形）の髪型をもとに伝わったもので、真ん中から分けられそれぞれにとき上げてくくり、左右に二つの髻を作ったものです。

髻には象牙の花かんざしを三本、額には紅で菱形の「花鈿《かでん》」が施されています。この全く垂れ髪のない髪型は、薬師寺にある吉祥天画像及び、もと法隆寺金堂にあった女神像が示しています。

平安時代

794〜1191年

唐への留学生、遣唐使の派遣が停止されてから、中国の文物、風俗の模倣はようやくすたれ、それにつれて風俗の特殊な発展をみる時代がやってきました。日本国民の目覚めた時代といっても過言ではありません。この期間はおよそ四百年間でした。

7 平安時代◆垂　髪（すいはつ）

作―南　登美子　モデル―山本明子

頭上一髻《いっけい》とよばれるこの垂髪は多神社《おおの》の女神像に示された髻形《もとどりがた》で、天皇の陪膳《ばいぜん》の女官だった「采女《うねめ》」の髪といわれています。前髪を膨らませ、左右の毛を上にあげて髻を作り後ろへ垂らしています。

多神社の神像の髪は義髻《ぎけい》ではないかといわれていますが、義髻とは「かもじ」のことで、むしろ当時はこのような型を髻の中に入れていたのではないかとも思われます。後の鎌倉・室町時代までは髪の膨らみはなく、下げ髪が続きました。

8 平安時代◆垂　髪（すいはつ）

垂髪には大垂髪と元結《もっとい》掛《がけ》垂髪の二つに分けられますが、髪が後背に垂れるものでこの時代にはその方法が単に後背に垂れるもの、左右両側に垂れるものの、左右と後ろの三方に垂れるものの三種類があります。一つは一筋垂髪で、全髪を頭上中央で左右に分け、後背に垂れるものです。太古以来少しも変わらない最も簡素な髪型と言えます。

またこの写真は後背の元結掛垂髪ですが、「鬢批《びんそぎ》」とよばれる頬の両側に垂れた髪があります。これは顔の装飾のため又は、人に逢う時に顔を隠すために扇の代わりとしたのが目的の一つでもあります。

作—山田弘子　モデル—中島邦子

9 平安時代◆白拍子（しらびょうし）

作—松浦淑子　モデル—伊勢谷佳奈子

平安朝末期のいわゆる町芸妓のようなもので、素性も人格も高い人が多く、武士に招かれて今様などを謡い、舞いを演じるのですが後頭部に一束にまとめられた髪には烏帽子《えぼし》をかぶり、白の生絹の水干《すいかん》に赤の菊綴《きくとじ》を付けて上首に着付け、裾を紅の長袴の中に着こんで緋袴《ひばかま》をはき腰には太刀を差していた男装の麗人でした。

清盛に愛された妓王妓女、仏や義経のお妾静御前等は有名です。

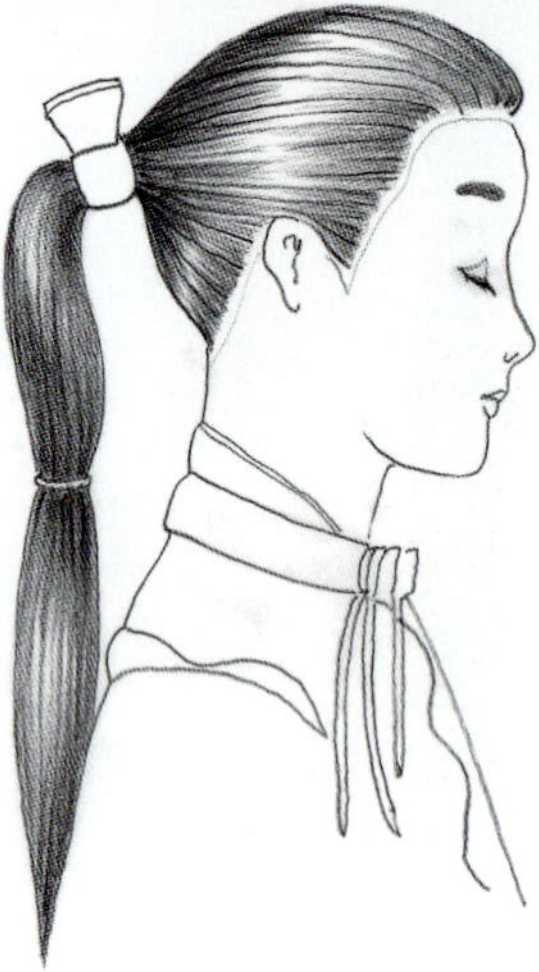

鎌倉時代

1192〜1334年

時代が進むにつれ、長垂髪から短垂髪へと移行してきましたが、この頃からは雑事をするときに髪を頭のまわりに巻き、川で洗濯をしている図や『春日権現験記』の煮物をしている老女などにみられます。

10 鎌倉時代◆虫の垂衣（むしのたれぎぬ）

作―大林和弘　モデル―楠　理恵

鎌倉時代の武家夫人が、神社参拝などで旅へ出るときの姿を表したものです。笠は虫の垂れ衣のついた市女笠《いちめがさ》で、虫の垂れ衣は「苧麻《からむし》」で作った麻か薄い絹の布を暖簾《のれん》のように垂らしています。これに白糸の総角《そうかく》を八本垂らします。草木の茂る虫の多いところでその効果を発揮しようとするものです。

髪は垂髪ですが、顔の両側の髪を分け取り短く切られています。これは鬢批《びんそぎ》とよばれ成人のあかしでもあります。

11 鎌倉時代◆侍　女（じじょ）

作―進藤　緑　モデル―富田真規子

髪の長いのを誇りとした大垂髪《おすべらかし》に比べて平安朝・鎌倉時代のちの室町時代に至って髪が少しずつ短くなって行くことが根本的な相違でしたが、短垂髪《たんすいはつ》とよばれ身分の高くない人は髪を腰のあたりで切り揃えて垂らし、首の下で元結《もっとい》で結んでいました。中には結ばないでそのまま垂らした髪もありました。

平安朝末期の『信貴山縁起絵巻』や『伴大納言絵詞』、鎌倉時代の『春日権現験記』等の中に該当するものが多く見られます。こういう身分の人は、雑事をする時には髪の上に鉢巻きをしている姿が見られます。

室町時代

1335～1584年

室町時代の初期には南北朝の分裂、中頃からは応仁の乱、天変地異、土民一揆など庶民の困苦は続き、四方に戦乱が起こるといった時代が続きました。

12 室町時代◆巻　髪（まきがみ）

作―山中麻友美　モデル―岳下由美

勤労層の婦女子は垂髪《すいはつ》を簡単に後頭部でくくり、その毛束を頭のまわりにぐるぐると巻きつけました。多くはその上から白い布で巻き包みました。これは「桂巻《かつらまき》」「桂包《かつらつつみ》」とよばれ、京都の桂女《かつらめ》が飴や鮎を売りに京の町へ出ていたことから始まったのですが、よほどの労働にも髪の乱れを防ぐことができた事からこの風習は室町時代に最も流行し、『七十一番職人歌合』にも多く描かれています。巻き髪には高巻き、後結び、髪上《あげ》といった種類があり垂髪の生活に即した髪型です。

桃山時代

1585～1602年

切支丹宗と共に南蛮文化を輸入した桃山時代は、貿易も栄え、風俗文化にも大きくその影響を与えました。

13 桃山時代◆垂　髪（すいはつ）

作―楠　京子　モデル―川瀬琴乃

鎌倉・室町時代を経て長い間、髪を結い上げることもなく戦国時代の中で素朴に簡素に過ごしてきたのですが、その間自然な垂れ髪の様子にも微妙な変化を見せながら徐々に髪が結われてきました。

大名の夫人、息女、武士の妻、富貴な商人の妻女など、いずれもまだ垂れ髪を白元結で根を結んでいました。単純に垂髪の根を結んだものが多く見られますが、後に文化の特質である豪華な気象をうけて簡素なものも多少の影響を被ったのです。

14 桃山時代◆唐輪（からわ）

作—茂田美栄子　モデル—磯部真美子

桃山時代の末期から中国や朝鮮との往来が頻繁であったために、勢い大陸の風俗を率先して輸入され、この模倣の材料となった髷《まげ》が「唐輪」で、遊女や歌舞伎役者の間で流行した髪型です。

前髪を左右に振り分けて垂らし、他は鬢《びん》も髱《つと》も多くを出さずに頭頂部に集めて束ね、余った毛束を根元に高く巻きつけるといった簡素なものです。

尚、髷の輪には四つの場合、三つの場合、また二つの場合とあって、それぞれ個人の好みとされていたようです。

江戸時代前期

1603～1716年頃

戦国時代以降、元和に至るまではまだ風俗も混乱の状態にあり、結髪も統一を欠き、人々は各自の好みによってその傾向を選び、様式も様々でしたが、寛永の頃になって少しずつ特殊でしかも個人的な風俗をあみ出し、風俗統一の時代に入りました。

当時風俗の流行の源泉となったのは、遊女の他に俳優や茶屋女、町娘といったいろいろの階級のものが多く、また単に民間ばかりではなく、時には宮廷や幕府の女官などから出た髪がやがて民間を風《ふう》靡《び》したこともありました。

15 江戸時代前期◆立兵庫（たてひょうご）

作―西村容子　モデル―池田美紀子

摂津国兵庫の遊女から起こった「唐《から》輪髷《わまげ》」の変形で、寛永（1624～44）の初め頃に女性の髪型として普及し始め、寛文（1661～73）頃には遊女ばかりではなく、一般婦人の髷としても見受けられるようになりました。

この髷の特徴は、頭頂部に輪を一つ作って根を結んだもので、その輪が大きく作られたり、承応（1652～55）頃の高尾の像などのように輪が小さいものがありますが、恐らく当時の好みを現したものだと思われます。

兵庫髷には「島田兵庫」「乱兵庫」「つくね兵庫」「立兵庫」等多くの種類があり、いかに兵庫の勢力があったかを想像することが出来ます。

16 江戸時代前期◆笄髷（こうがいまげ）

作―加山信子　モデル―加山優子

笄髷は従来の髷に使用されたことのない笄を使って髪を結った髷で、その起源は大変古く、室町時代には既にこの笄を挿して下げ髪を結う傾向が女官の中に行われていたようです。髪型は後述の「御所風髷」に類似していますが、平元結を巻いた根元の近くに髪の輪を作り、その下に笄を通して周りに髪を巻き付けたものです。

この笄を使って結われた髷は、形式も一定していませんが、笄を使うことによって「笄髷」とよばれるようになったのです。

17 江戸時代前期◆玉川島田（たまがわしまだ）

作—西野時子　モデル—内田千恵子

この玉川島田の髷《まげ》は島田よりやや年長の婦人に好まれた新型の髪でした。前髪は低く引きつけ、鬢《びん》はあまり張らさず髱《つと》も低くて、長さも控え目になりました。木櫛、棒笄《こうがい》（鶴の脚の笄とよばれているもので、頭痛のまじないになるとして、好事家に大変珍重がられた）、かんざしは亀甲耳掻き付のものが挿されています。

18 江戸時代前期◆元禄勝山（げんろくかつやま）　作―南　節子　モデル―高橋和嘉子

髪は元禄の特徴として前髪を引きつけ鬢《びん》は出さず髱《つと》だけが後ろへ思いきり突き出すことから鶺鴒髱《せきれいづと》とよばれているものです。承応・明暦（1652～58）の頃、遊女勝山が結い始めて流行したものです。武家の出身でもあったといわれる勝山は、武家風を好み、その髷も上品であったことから、元禄（1688～1704）の頃には遊女だけではなく一般の女性にも盛んに結われるようになり、そのあと日本髪の系統の基本となる「丸髷」の原型となりました。

この髪を結った人たちは様々でしたが、大名とか武家の奥方など比較的身分の高い人たちだったと思われます。

19 江戸時代前期◆元禄島田（げんろくしまだ）

作―山中恵美子　モデル―宇野由希子

天和（1681〜84）から元禄（1688〜1704）にかけて盛んに流行した髪で当時の代表的な髪型の一つといえます。

髱《つと》は前期の初め頃は太くやや丸みがありましたが、だんだんと細く長く後ろへ突き出してきました。この突き出す髱の傾向は寛永（1624〜44）の末頃から少しずつ現れたのですが、後にこの形を「かもめ髱」とよばれ、江戸時代の結髪の華美を象徴するものでありその手法は永く後世に伝えられています。

鬢《びん》は耳上で高くとかされ二本の透き目を入れるのが当時の浮世絵によるものです。

髷《まげ》の前には亀甲地楓透彫紋のかんざしを差しています。

20 江戸時代前期◆笄髷（こうがいまげ）

作―吉田のり子　モデル―吉田茄鶴代

婦女の外出姿で髪は笄髷に結っています。額から前髪にかけては紫ちりめんの輪帽子を当てています。女子の外出時には昔から被衣《かずき》が用いられていましたが、江戸前期の町家では被衣の代わりに、多くは略式として帽子を頭上に被るか、又は前頭部に被ったりしました。それは年齢に応じて様々な形式がとられ行われたようです。

笄髷は貞享・元禄（1684～1704）の頃には民間にも流行して一般にも結われていました。

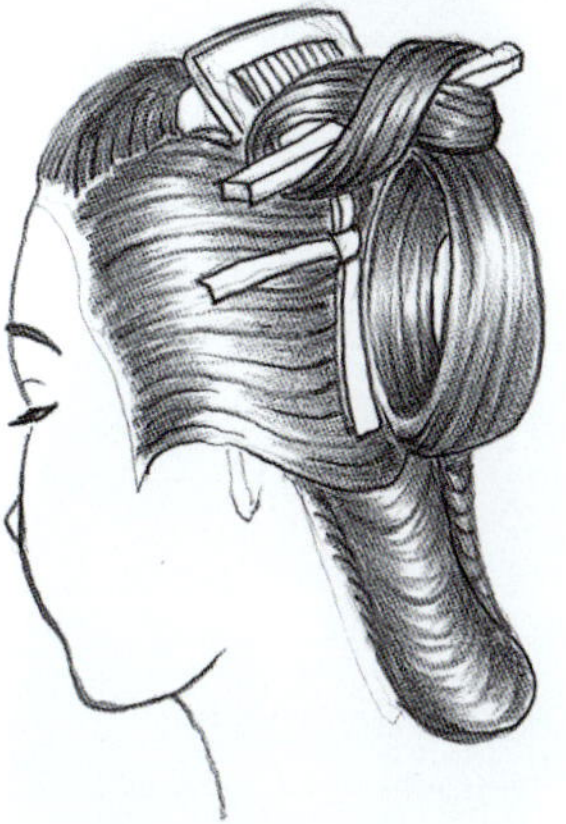

21 江戸時代前期◆御所風髷（ごしょふうまげ）

作—島田節子　モデル—園山由紀

元来その名が示す通り、御所の女官の下げ髪から変化したもので、解けばすぐに下げ髪になるものです。この髷は上流に始まり、中流に移って、花街にまで及んだことが知られています。

これは下げ髪を根で結び、束ねた部分を垂直に曲げて輪として束ね、その輪の余りの髪で巻きつけて、毛先を中に収めたものです。

天和（1681～84）の頃には輪の位置が高く、元禄（1688～1704）になると輪が下に下り、享保になっても、なお市井の間には多少残っていましたが大方は廃れた様子です。

江戸時代中期

１７１６年頃～１８００年頃

八代将軍吉宗、九代将軍家重、十代将軍家治の治世ですから、享保から元文、寛保、延享、寛延、宝暦、明和、安永、天明、寛政に至る七十余年の時期で、風俗界の変動が大きな時代でした。十一代家斉の時にはひさしく思うがままに流れていた風俗も再び穏健な傾向に返ることになったのです。

22 江戸時代中期◆横兵庫（よこひょうご）

作―山中恵美子　モデル―樋口佳苗

　前期の兵庫髷《まげ》を横に倒したもので、堅気の女性ではなく、あだっぽく粋な商売女たちに結われた髪型です。髱《つと》は少しの膨らみで、鬢《びん》が膨らんで鬢裏が見えるようになります。このような膨らんだ鬢の形を整えるためには、鯨の髭《ひげ》や亀甲などで作られた鬢張りというものが使われました。これを半月形になるよう、火にあぶって好みの曲線を作ります。

　髱と鬢との関係は常に釣り合いがとれていて、流れるような髱のときには、鬢は顔に添うように結われ、鬢が横に張り出すときの髱は量感が控え目になっています。

23 江戸時代中期◆お梶（おかじ）

作―大林和弘　モデル―石川礼子

「ばい髷《まげ》」といって、かんざしを立ててこれに髪を巻きつけて結び、残りを外に出したものです。この髷は遊廓から起こったもののようで、江戸前期には斜めに作られた髷が、中期には垂直に再興したとみられます。

額に被った揚げ帽子は、室町時代の桂女《かつらめ》が使用した前結びのものでしたが、元禄（1688～1704）頃の名優水木辰之助によって「水木帽子」と名付けられたのが揚げ帽子の起源で、後の名優荻野沢之丞によって額の前をかくし、左右におもりを入れて垂らし、後ろ紐にひっかけ「沢之丞帽子」または「おもり帽子」となって初めて顔をつくろうための帽子となったのです。

24 江戸時代中期◆春信風島田（はるのぶふうしまだ）

作―南 登美子　モデル―畑下仁美

宝暦・明和の頃（1751～72）に町家の娘に結われ、流行した髪型で、当時全盛だった鈴木春信の浮世絵によく見られるものです。

髪型の特徴は、跳ね上がるような髱にあり形が似ているところから「鴎《かもめ》髱《づと》」「鶺鴒髱《せきれいづと》」ともよばれています。「鴎髱」はやや勾配がゆるく「鶺鴒髱」は勾配が急で短いといわれています。

髷にはことさら技巧も施されず、折り曲げてポンと乗せたといった風情です。

飾り物も紅縮緬に薄く綿を入れて丸く絎《く》けたものと、櫛、かんざしといった具合であまり飾りたてることもありません。

25 江戸時代中期◆円山鬢島田（まるやまびんしまだ）

作―上田米子　モデル―斎藤陽子

時流に反動があるように、すべての風俗にも反動のあることが面白い現象で、髱《つと》が突き出したのが流行すれば、やがてその反動として突き出さないことが始まりました。つまり奥行きが短くなってきたのです。しかし髱が短く鬢が小さい髷《まげ》は、貧弱に見えることから勢い鬢の張りを強調し幅の広い髪型が起こってきたのです。

鬢を左右に張り出すことは、京都の祇園新地から明和（1764〜72）頃に起こったものと考えられていますが「丸（円）山鬢」「張出し鬢」「吾妻《あづま》鬢」「燈籠《とうろう》鬢」など色々な名が『当世かもし雛形』に見られます。

26 江戸時代中期◆円山鬢笄髷（まるやまびんこうがいまげ）

作―福谷房子　モデル―林　康子

笄髷はもと笄を使って髷に結んだものの総称で、局《つぼね》衆から始まったものです。前期から「笄髷」とよばれる一種があり「御所風」の髷に笄を使ったものでした。そしてこの笄を使用する髷が正徳（1711～16）頃から、「先笄《さっこう》」「両輪《りょうわ》」「丸髷」など幾種類も出来ました。鬢をだすには、鬢張《びんば》りというものを使用しました。

27 江戸時代中期◆丸髷（まるまげ）

作―楠 京子　モデル―畑下仁美

歌麿の美人画に描かれた女性は殆どといってよいほどこの髪を結っています。勝山髷と言われることもあり、時代の風潮からか鬢《びん》や髱《つと》は比較的小さく、髷の大きさが目立っていることです。

鬢は薄く整えられ毛の一本一本が透けて見えそうなところから「燈籠鬢《とうろうびん》」とよばれ、髷とともに非常に大きいことがこの髪型の特徴で、主に遊女が結った髪でもあります。

28 江戸時代中期◆櫛巻き（くしまき）

作―茂田美栄子　モデル―橋本ほり江

宝暦（1751～64）の中頃、浅草寺地内のお福茶屋に湊屋お六という女が結い始めたものといわれています。

櫛を逆さにして髪の毛を巻き込むという素朴な形が、技巧に走り勝ちな髷《まげ》の中にあって、人々の目をひいたものと思われます。少し崩れた魅力であるところから、一般に広く結われたのではなく、男だてを真似る女性や、いなせな人に好まれたようです。「くし巻きにするのがよめのくずし初」と『柳多留』四編にあります。

江戸時代後期

1801年頃〜1867年

享和(1801〜1804)から慶応(1865〜68)に至る期間で、女性の髪については公家、武家、町家(民間)の三種類に大別すると便利です。

前髪は中期の引きつけたものから、少しずつ高くなり、鬢《びん》は中期には様々な形式がありましたが祇園町から明和(1764〜72)の頃に始まった「燈籠鬢《とうろうびん》」のように、思いきり左右に張り出す傾向を見せ、中期の髱《つと》は突き出したものから後期には全く出さずに、鬢を大きく張り出す方向へと移行したのが特徴です。

29 江戸時代後期◆葵髱つぶ髷（あおいづとつぶまげ）公家

作—木久幸子　モデル—大上真季子

この髪は宮廷の島田に当るものですが、女官見習いの人々の髷といわれています。元来この髪型は江戸幕府の「御守殿島田」から移ってきた髪型だったらしく、髱が葵の葉に似ていることから葵髱と言われ、この髷を解くと江戸幕府の「椎茸髱《しいたけづと》」の下髪になり、あまり膨らみのないところから「押さえ髱」などとよばれているのが特徴です。

30 江戸時代後期◆葵髢下げ上げ（あおいづとさげあげ）公家

作―北村芳江　モデル―木下裕美子

下げ下（地）公家では「おすべらかし」の公式の髪型に対して、局《つぼね》などにあるときには「下げ下」という髪に結いましたが、これは下げ髪の下地ということで、根に小枕を入れて島田のように結ったものです。髪の先を笄《こうがい》の右下をくぐらせ、左へ渡してまた笄の下をくぐらせ、笄の上に上げて右へ渡します。このようにして笄の周囲をまわすのですが、この「下げ下」に対して「下げ上げ」も大差はなく、一カ所に紫色の紐をかけることが違っています。

この髪は十七、八歳から二十二、三歳までに結われる髪型で、江戸城中から移って来た髪型の一つです。

31 江戸時代後期◆片はずし（かたはずし） 武家

作—西村かち栄　モデル—田中佐代子

この髪型は有名で一般には御殿女中といえば「片はずし」と心得ていたそうです。演劇では「伽羅先代萩」の政岡も、重の井も岩藤もこの髪型でした。「つぶいち」と同じように葵髱《あおいづと》で、髷《まげ》は一方だけが笄《こうがい》に巻きつけてあり片方がはずれています。

この時代には滅多になかったということですが、「御所風髷」などと同様に、笄をはずして下げ髪にもしたようです。

32 江戸時代後期◆奴島田（やっこしまだ）武家

作―栗村絢子　モデル―和田 悠

島田髷《まげ》にも様々な形がありましたが、中期の髷が細長かったものから変化して、髷先が膨らんだことにあります。

高島田を別名「奴島田」と言い、根の高い尻上がりのきりっとした様相には見るからに風格があります。この奴島田以降、京風の結い方から髱《つと》が少しずつ上がるようになりました。一本髷、都髷とよばれる髷が使われますが、一本髷は主に正装時の髪型に結われ、都髷は丸味があって現在も舞妓の髪型に多く結われています。

33 江戸時代後期◆勝山髷（かつやままげ）武家　作―宮崎しずの　モデル―小串　薫

中期にはその幅が平たい輪となっていたことは鈴木春信筆「吉原美人合」にありますがその後、吹輪の輪の幅が平たくなって殊に上部は幅広になったことです。

勝山の特徴は前後が長く、殊にその背が高いことです。

正式には笄《こうがい》を挿して、略式には両天かんざしを挿します。

34 江戸時代後期◆おさ舟　武家

作―笹島八千代　モデル―高島豊子

「丸髷《まげ》」から変化したもので、武家奥方の格式を示す髪型です。鬢《びん》と髱《つと》をおだやかな円形にまとめた京風の特色を見せた髪型です。

35 江戸時代後期◆おさ舟 武家

作―桧作久江 モデル―岡本 玲

36 江戸時代後期◆島田髷（しまだまげ）町家

作―南　登美子　モデル―滝川容子

髷は京風島田に結い、前頭部に白練緯《しらねりぬき》の揚帽子を被ります。女子が外出するときには、昔から被衣《かずき》が用いられましたが、江戸時代後期の町家では被衣の代わりに多くは略式として帽子を頭上から被ったり前頭部に着けました。そして着用者の年齢に応じて種々の形式のものが着けられました。

37 江戸時代後期◆先笄（さっこう）町家 作—田熊文子 モデル—福嶋美雅・田中温子

京風の髪型で、主に町家の若奥様などに結われ、その後明治時代の末頃まで結われたようです。

手絡《てがら》みの色は年齢によって、桃色、水色、藤色など様々です。櫛、笄《こうがい》、前挿し、根挿し、いち止めは、亀甲でも塗り物であっても、また蝶貝の入ったものであっても、一揃いになったものを使います。前挿し、根挿し、いち止めなどの撥形《はっけい》は上方風です。

38 江戸時代後期◆両輪（りょうわ）町家

作―今井弘子　モデル―星川美由紀

「両輪」または「両手」ともよばれています。上方の町家の母親に多く結われたもので勝山と笄髷《こうがいまげ》の変化したものです。従って先笄《さっこう》髷と似ていますが、先笄は髷を根のところから上へ曲げていますし、両輪の場合は根のところから下へ折り曲げています。

39 江戸時代後期◆娘島田（むすめしまだ）町家

作―岡村美知子　モデル―稲田典子

高島田は未婚の若い婦人の髪で、上方では少女も結い、時には遊女も結っていました。

江戸では島田の髷《まげ》の下に紋縮緬のような吉野紙を使い、替わって緋縮緬をかけるようになりましたが、上方では丈長をかける人もあれば使わない人もありました。

天保の頃から絹が使われ始めました。

40 江戸時代後期◆結綿（ゆいわた）町家

作―村田博子　モデル―山下美佳

「つぶし島田」に鹿の子をかけたもので、「つぶし島田」は江戸や京、大坂を問わず広く結われた根の低い「島田髷《まげ》」です。

この髪は十八、九歳までの結婚前の娘が結ったもので、明治初期まで若い娘に親しまれた髪型で、京都では明治二十年頃まで結われていた髪型です。

41 江戸時代後期◆おしどり 町家

作―石村 馨 モデル―山本麻梨子

上方の町家の娘の髪型で、十五、六歳まで結われていました。「結綿《ゆいわた》」にさばきの橋をかけ、鹿の子に銀ばらの輪を通して、前髪を後ろへ垂らしたもので「おしどり」には雄と雌があり、普通おしどりといえば、この雄を指しています。

42 江戸時代後期◆粋書髷（すいしょまげ）町家

作―九鬼春二　モデル―藤本康子

この髷に油つけの輪を乗せれば「先笄《さっこう》髷」になるという髪型ですが、京都の二十四、五歳の女の髪で前頭部に横水平に輪を作り、鹿の子と一緒にかんざしを横に挿して、後ろは島田風に作られたもので、いわば「先笄」の簡略された形と見れば良いでしょう。京都にしかない京都の髷といえる髪型です。

43 江戸時代後期◆粋書髷（すいしょまげ）町家

作―田熊文子　モデル―井上　愛

明治時代

1868～1912年

江戸時代二百数年の久しい平和も嘉永六年（1853）六月、ペリー提督の来航によって破れ、安政五年（1858）欧米各国と通商条約が締結されてから、明治維新の大業となりました。

髪型にも欧米文化が輸入され、吸収するようになり、時代の新風に影響されて、女子には「束髪《そくはつ》」などの新様式が流行し結髪界に大革命を起こしたのです。

明治十六年頃から鹿鳴館《ろくめいかん》時代で、洋装が行われるようになり、二十七年に日清戦争が始まると「西洋の模倣は止め、国粋にかえれ」の呼び声で従来の束髪が日本化するようになりました。

44 明治時代◆京風芸者（きょうふうげいしゃ）

作―木村美子　モデル―木村友紀

明治時代の島田髷《まげ》は上流社会の令嬢向きには根の高い中高《なかだか》の文金《ぶんきん》風が多く、一般には根のやや低い高髷が結われたり、根が低く平たく結われた奴《やっこ》島田などがあります。

普通、島田は「つぶし島田」ですが、芸妓の島田は「投げ島田」といって前が細長く垂直になったものや、中央の凹んだのがありました。

この京風の投げ島田は、現在では各花街のおどりのお茶席でお茶を点てるときに、襟《えり》を返して（正装）この髪型が結われています。

45 明治時代◆稚児髷（ちごまげ）

作―島田節子　モデル―木田整子

江戸の後期から結われている髪で、内親王、武家の娘で部屋子は六歳から十二歳までお小姓とも、お茶小姓ともいわれました。

現在では七つ参りや十三参り、また祭礼などの折りにお稚児さんの頭に見られますが、その遺風が感じられます。髪には、笄《こうがい》もかんざしも挿さず、飾りものが使われるようになったのは、大正の初期からだそうで、前髪を眉尻あたりから幅広くとられることが他の髷と異なるところです。

46 明治時代◆結綿（ゆいわた）

作―進藤　緑　モデル―宮本尚子

つぶし島田の腰に鹿の子をかけたもので、このつぶし島田は、江戸後期から江戸や京、大阪で広く結われた根の低い島田髷です。

十八、九歳の娘の髪として親しまれ、京都では明治二十年頃まで結い続けられました。飾りには、好みの色の鹿の子のほか花かんざし、平打ち、櫛などが使われています。

47 明治時代◆揚げ巻き（あげまき）

作―筒井美代子　モデル―関　眞弓

明治二十七、八年の日清戦争が始まると、「西洋の模倣は止めろ」の呼び声とともに、従来の洋風の束髪が弾圧されたために日本化されるようになりました。それは第二次世界大戦の折りにもパーマネント撲滅運動が盛んであったのと同じですが、ともかくこの頃、割烹店「花月」の女将から結い始められた花月巻きが一転して「揚げ巻き」と名づけられ「夜会結び」といって大いに結われ、その髪風が鬢《びん》、髱《つと》とも全くの日本風であったために大変な人気をよんだのです。

48 明治時代◆束　髪（そくはつ）

作―筒井美代子　モデル―永田智子

日清戦争後の束髪は、前髪をふくらし鬢《びん》や髱《つと》を別々にふくらすことを止めて一体に平均した膨らみになりました。

明治三十七年に日露戦争が勃発して、三十七年の末に日本軍が旅順の最高地である二百三高地を奪取したときに髪を思いきり高く立てた、ひさしの出たような髪が流行したのですが、これが「二百三高地髷《まげ》」でした。この頃から新様式の束髪が次々と考案され、すき毛を多く入れて宣伝する人もいたのです。

49 明治時代◆桃割れ（ももわれ）

作―荒賀弘子　モデル―寺田　礼

明治時代の末から昭和の初期に至るまで、十八、九歳の若い娘に結われた髪で、前髪が小さく左右の鬢《びん》は「びん出し」といって前に出し小さくまとめられています。髷《まげ》は二つに分けて左右に丸く形づくりされています。この髷の形から桃割れの名前がつけられたようで、髷の中には丈長《たけなが》を使っていますが、丈長のかわりに鹿の子も使われています。

また櫛や、平打ち、かんざし等の飾りにはセルロイド製品が出始めた時期でした。

50 明治時代◆丸髷（まるまげ）

明治二十八、九年頃から大正、昭和にかけて大流行したのがこの丸髷です。

主婦の代表的な髪型ですが、髷の大きさが年齢によって大、中、小、厚みや、薄手があり、若い婦人には大きく、老いて行くに従って小さいというのが原則です。また若い婦人は、赤か桃色のてがら（鹿の子）をし年齢と共に水色、藤色など変化して行きます。

根掛けの玉は冬は珊瑚《さんご》、夏は翡翠《ひすい》を使いますが、儀式には白の丈長《たけなが》がかけられます。

良家の奥様方は、櫛かんざしには金にプラチナ模様がはめ込まれたものを使用していました。

作―西村かち栄　モデル―宮本尚子

51 明治時代◆鹿鳴館（ろくめいかん）

作—奥田英一　モデル—前田純子

明治十六年頃からの女性の洋服は、貴婦人の間に着用され、いわゆる鹿鳴館時代を現出したのです。〈東京・鹿鳴館〉という社交クラブに集まって仮装舞踏会が開かれ、上流階級の女性たちの着ていたドレスに人気が集まったのが鹿鳴館時代の起こりでした。

52 明治時代◆鹿鳴館（ろくめいかん）

作―福谷　伸　モデル―谷川　睦

大正時代

1912～1926年

初期には明治末期と大差はありませんが、髪の傾向は大正に入ると「巻き束髪《そくはつ》」の流行がますます盛んになり、日本髪は日毎に衰え、その代わり洋髪は日本式束髪となって矢継ぎ早に生まれました。

大きなあんこで山のように盛り上げた前髪が二つに破れ、同時に低くなってしまったり油もなく汚れも少なくなり、非常に簡便で活動的になりました。

大正八、九年に「耳かくし」、十年頃には、アイロンをあてるウエーブが広まって変化がつけられ、美の中心がウエーブになってきたのです。

53 大正時代◆束　髪（そくはつ）

作―福谷房子　モデル―林　泰子

明治の後期に大流行をみた束髪は、何々巻きと名付けられて次々に新様式の束髪が考案され、大正時代に入っても巻き束髪の流行はますます盛んで日本式束髪となりました。

従来は誰でも個性も自由も認めない一つの束髪でしたが、大正の新時代には定型を破って自由に、しかも個性を尊重した束髪が生まれたのです。

54 大正時代◆耳かくし（みみかくし）

作―三木瑛子　モデル―松田真由美

大正八、九年頃に「耳かくし」が広まり、大正十年の頃になると、コテをあてるウエーブが広まって変化がつけられてきました。

またこの頃、衛生上からも「断髪」が流行の先端となり、盛んになったスポーツからオールバックも流行しました。

こうした中で、十人十色の個性を望む傾向となり、美の中心をウエーブにおいた軽い結髪の「耳かくし」が好まれてきたのです。

55 大正時代◆耳かくし（みみかくし）

作─堀田千鶴　モデル─岩井恵美子

大正期に入って、「耳かくし」の他に「女優髷」、またフランスの戦争未亡人が結った「行方不明」という髷のない髪も現れ流行しました。つまり束髪も個性によって多様化されてきたのです。

この頃から、髷の芯としてシャグマ（すき毛）が使われ、オキシドールで毛を赤く染めたりするなど装飾するような傾向の変化が起こりました。

昭和時代

1926～1989年

昭和の時代は大正時代と引きかえ、全くいばらの道を歩んだ時代でした。昭和六年には満州事変、ついで上海事変、十二年から日華事変、十六年から太平洋戦争が、二十年八月の終戦に至るまでは目まぐるしい戦争の時代でした。

髪型の七三の分け目、又は中央から分けたワンロールやリングカール、縦ロールなどの髪型が多く見られたのも戦後からで、二十二年頃から戦前の髪が復活し、アップとよばれて髷《まげ》が頭上に作られてきたのです。以後「桃割アップ」とよばれカールのある髪の上に鹿の子とかんざしを挿す、といった和洋折衷の傾向が現れ、着物の髪として新日本髪が起こって来たのです。

56 昭和時代◆新日本髪（しんにほんがみ）

作―九鬼紀美代　モデル―土岡礼子

昭和も中期過ぎになると女性の日本髪も殆ど結われなくなり、婚礼の花嫁の場合と、正月、節分の時くらいで芸妓ですら洋髪の時代になりました。もし日本髪を結おうとしても髪が短く、もはや結うことが出来なくなり花嫁もかつらを被ることになりました。

美容師の間ではその個人性を生かすための技術の研究を怠らず、新技術の一端としてここに新日本髪が生まれたのです。

いわゆるセットをし、ドライヤーで乾かし仕上げるといった一連の施術ですが、当初は大正から昭和初期の流れを汲んだ形から始まって、束髪系にアレンジを加えたものも結われるようになりました。

57 昭和時代◆新日本髪（しんにほんがみ）

作―奥田明子　モデル―奥田由華

昭和も後半になりますと技術も簡略化され逆毛《さかげ》によってボリュームを出すなど、すき毛を入れることも少なくなってきました。

形や毛流れもこれまでの約束から脱皮し、自由で軽く衛生的でもあり、一時期には「新々日本髪」とよばれることもありました。

平成時代の今日では、更に短時間で結われることとの要求から、従来のセッティング法からドライヤーに入ることを止め、カーラーそのものを温めるホット・カーラーの出現で驚く程の短時間で結い上がるようになってきました。最近では新日本髪とよばれるより、むしろ「振り袖の髪」「きものの髪」として結われていることが多いようです。

現代舞妓

花街が起こったのは、上七軒が江戸初期と古く、続いて島原、祇園、先斗町、宮川町とお茶屋が続出して花街になりました。

今日では十六歳からになりましたが、元来舞妓は十二、三歳の頃から芸妓になるまで衿替えまでを舞妓とよばれていました。

平安時代の白拍子が町芸妓とよばれたように江戸時代後期までは芸妓の陰で修業の身であり、明治五年に第一回の「都をどり」の公演から舞妓が一般の人々に知らされ、有名になったといわれています。

祇園甲部、祇園東、宮川町、先斗町、上七軒の五花街は「芸の街」として伝統を保ち続け、その優美さや可憐さを発揮しています。

そして、その舞妓の髪型は伝統技術を継承しながら、現代もなお結い継がれています。

58 現代舞妓◆割しのぶ（われしのぶ）

作―南 登美子　モデル―山本真由美

割しのぶは舞妓になってすぐに結われる髪ですが、なりたて直後の挨拶回りには「店出し」とよばれる正装の髷《まげ》が結われます。

この「割しのぶ」には独特の「ありまち鹿の子」が使われ可憐さと優雅な雰囲気をかもし出しています。

飾りには花かんざし、びら止め、びらかんざし、玉かんざし、橘《たちばな》の花の根挿し等が使われますが髷の上には、いち止め又は鹿の子止めが挿されます。その中で興味あるところは花かんざしが毎月替えられることで、季節感を味じわわせてくれます。

59 現代舞妓◆お染（おそめ）

作―進藤 緑　モデル―新田亜香根

この髷《まげ》は少女の時に結われた髪型で、現在では節分に結われています。髷の上には、さばき橋がかけられており可愛らしさを助長しています。

花かんざし、びら、びら止め、橘《たちばな》の根挿し、玉かんざし等使われていますが、好みによって、「見送り」という白と赤の三枚重ねの丈長《たけなが》を使うのが特徴でもあります。

60 現代舞妓◆おふく

作―城山弥千代　モデル―城山由布

「割しのぶ」の次に結われるのがこの「おふく」とよばれる福髷《まげ》です。いわゆるお姉さん舞妓の髪型で、たとえ地毛がたっぷりあっても髷に地毛を使うことは殆どなく、シャグマの添えを入れて地毛を包み隠すように結い上げられてゆきます。髷うしろの手絡《てがら》みは、ちりめんに銀ふりの模様の入った布を結んで針で止めてあります。

つまみの櫛は花かんざしで、びら、びら止め、平打ち、玉かんざしを挿します。

61 現代舞妓◆結綿（ゆいわた）

作―九鬼春二　モデル―北川夕起子

明治時代の「結綿」で紹介した髪を舞妓風にした髪型で「お染」と同じように節分になると結い替える髷《まげ》の一つです。

髷には長い鹿の子か、ちりめんの布で結ばれています。

櫛、平打ち、びら、びら止め、花かんざしが使われています。

62 現代舞妓◆菊重ね（きくがさね）

作―南　節子　モデル―江里朋子

町家の娘の髪として結われた髪型で、先添えを添えて結綿《ゆいわた》のように髷《まげ》をつくり、元結《もっとい》でくくられたあたりに横添えを入れて、蝶々のような髷をつくります。根のうしろから鹿の子をかけ、上の交差するあたりに少しの綿花を入れます。

花かんざし、櫛、平打ち、びら、びら止め、玉かんざしが挿されます。

やはり節分の替わり髷として結われている髪型です。

63 現代舞妓◆お俊（おしゅん）

作―山中恵美子　モデル―奥宮佳奈

舞妓が節分に少し変わった髪型を結いたいときに結う髪です。おしどり（雄）と同じように結綿《ゆいわた》に、さばき橋がかかったもので、髷《まげ》の中央を分けて赤い布を少し覗《のぞ》かせるところが特徴であり、おしどりと違っているところです。花かんざし、櫛、平打ち、びら、びら止め、玉かんざし等を挿します。

64 現代舞妓◆勝山（かつやま）

作―楠 京子　モデル―矢島佳子

勝山髷《まげ》は七月の祇園祭の期間中に結われる髪で、地毛のかぶた（添え毛）で結います。

髷の左右には長い銀ふりの絽の布（手絡《てがら》み）を止める役目もこめて、夏らしいぼん天を挿し、祭り用の銀製の華やかな花かんざし、平打ち、青玉かんざし、びら、びら止めを挿します。

65 現代舞妓◆先　笄（さっこう）

作―西村かち栄　モデル―阪本麻琴

舞妓から芸妓に変わるときを「襟《えり》替え」と言いますが、襟替えの一カ月ほど前の挨拶まわりに結われる髪型が、この「先笄」です。

いわゆる舞妓最後の髪型で、明治時代初期に町家の婦人などがこの先笄に結うと、お歯黒にしたのですが、その名残でこの髪を結うときにはお歯黒にします。

挿し物は、櫛、笄《こうがい》、前挿しは亀甲を使用するのが決まりで、このような根挿しを「よしちょう」と呼んでいます。また地毛のかぶたを使い先笄特有の輪を作ります。

毎年「櫛まつり」では、この「先笄」を結った舞妓が奉納舞いとして「黒髪」を舞って櫛供養式典に華を添えています。

伝統の髪型図

古墳時代から奈良、平安そして鎌倉時代までは一束にまとめられた髪型が多く見られますが、時代を経るに従って毛流れの方向や重なり等複雑になってきます。特に写真で見る場合には毛のディテールが把握できないことがしばしばあり、謝った解釈が生まれてこないとも限りません。

ここではこの作品集に掲載された髪型の中から各時代ごとに数点を抜粋し、少しでもわかりやすく見ていただけるために改めて髪型図を取り上げてみたものです。

1 古墳時代◆美豆良(みずら)

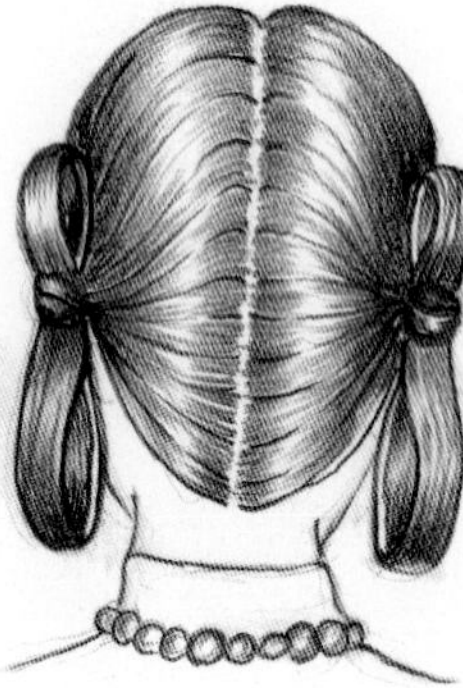

2 古墳時代◆島田髷(しまだまげ)

3 奈良時代◆樹下美人(じゅかびじん)

4 奈良時代◆高　髻(こうけい)

6 奈良時代◆双　髻(そうけい)

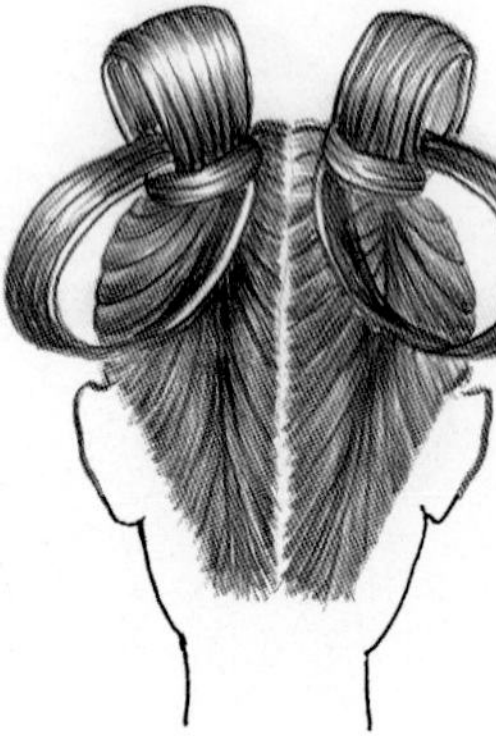

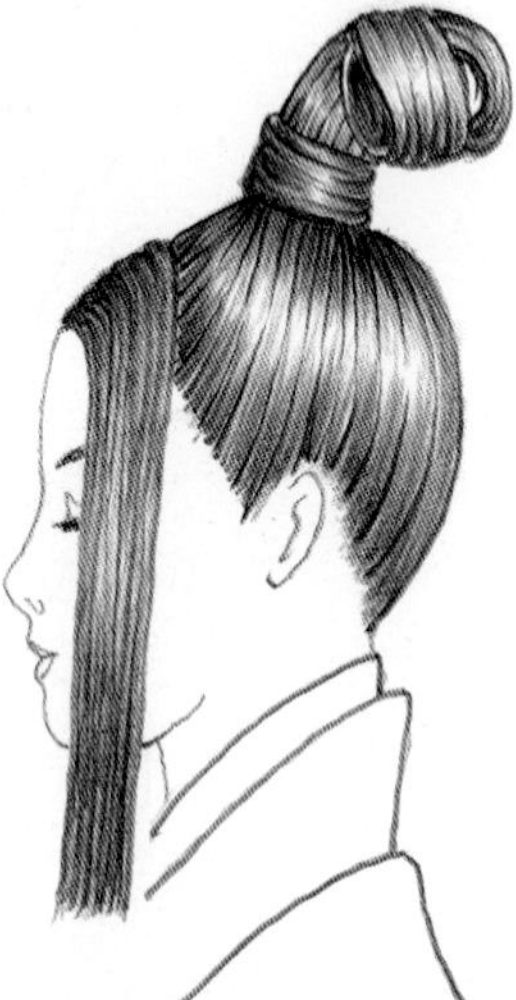

15 江戸時代前期◆立兵庫(たてひょうご)

16 江戸時代前期◆笄　髷(こうがいまげ)

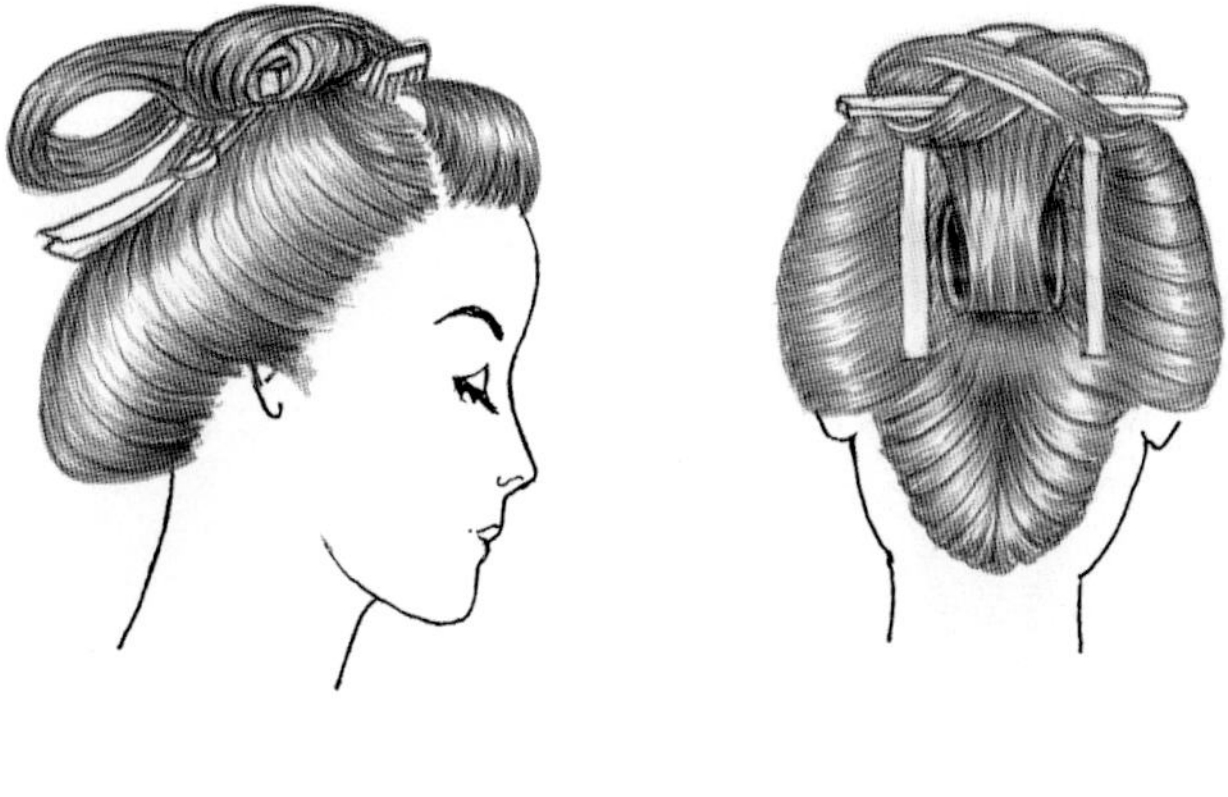

17 江戸時代前期◆玉川島田（たまがわしまだ）

18 江戸時代前期◆元禄勝山（げんろくかつやま）

21 江戸時代前期◆御所風髷(ごしょふうまげ)

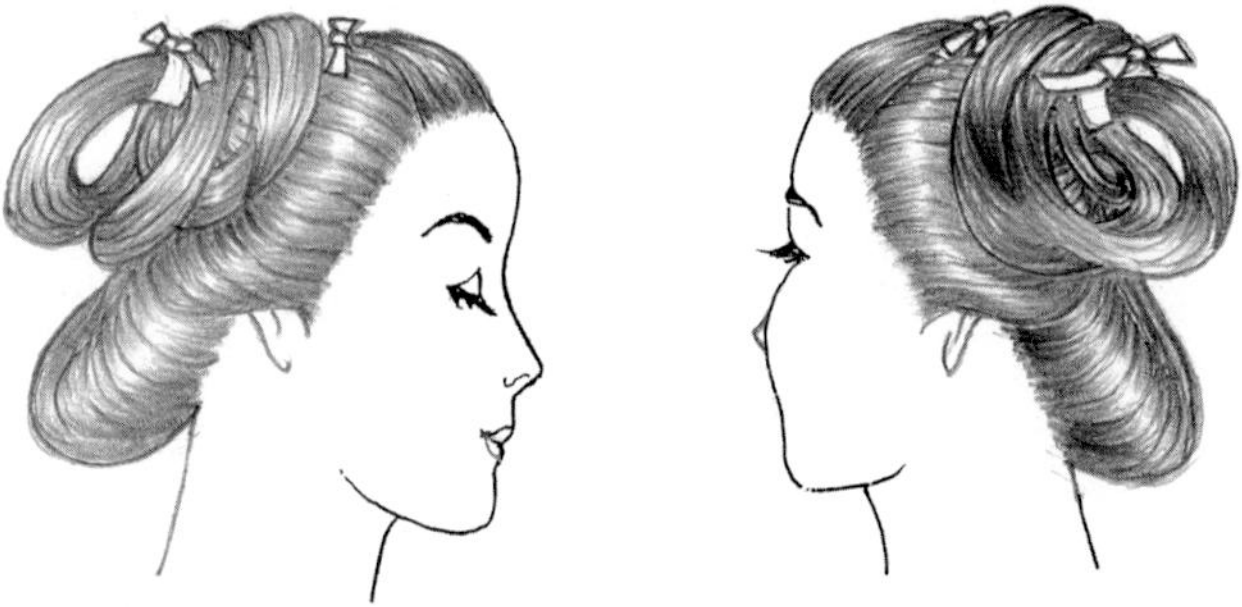

22 江戸時代中期◆横兵庫(よこひょうご)

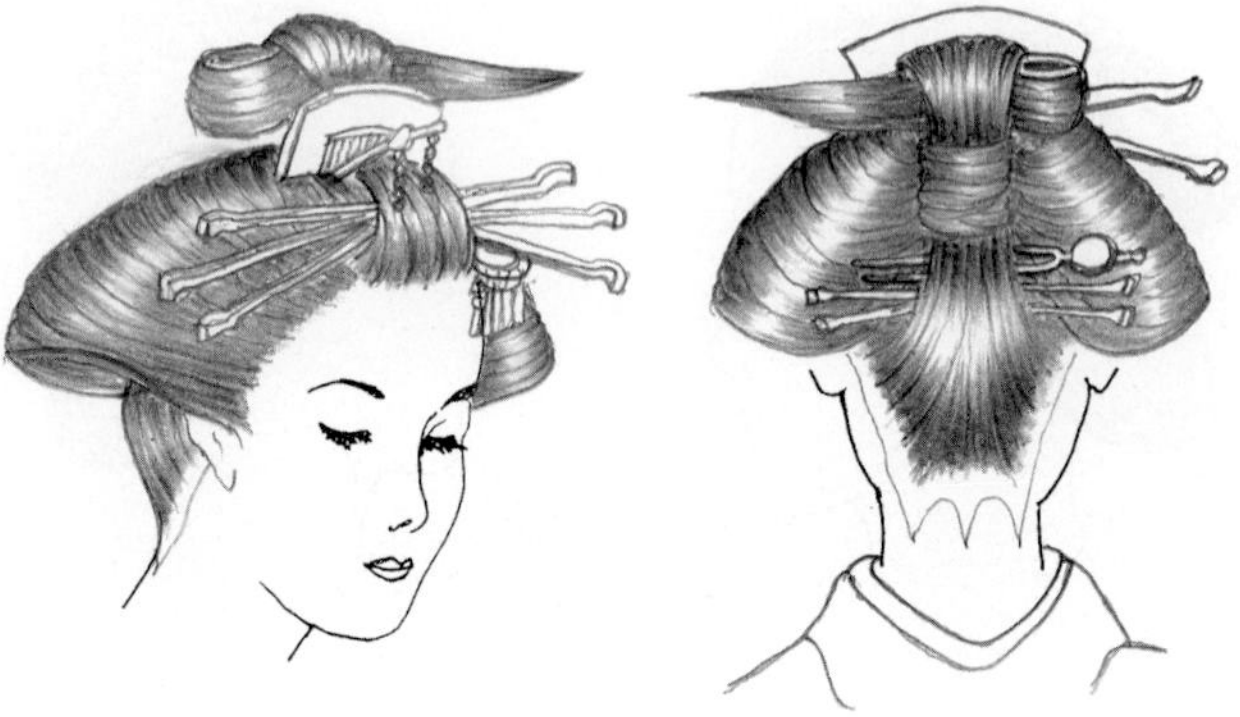

23 江戸時代中期◆お　梶(おかじ)

24 江戸時代中期◆春信風島田(はるのぶふうしまだ)

25 江戸時代中期◆円山鬢島田(まるやまびんしまだ)

27 江戸時代中期◆丸　髷(まるまげ)

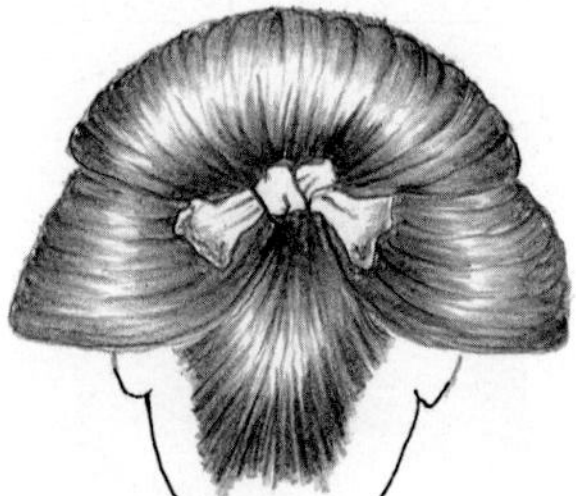

29 江戸時代後期◆葵髱つぶ髷(あおいづとつぶまげ) 公家

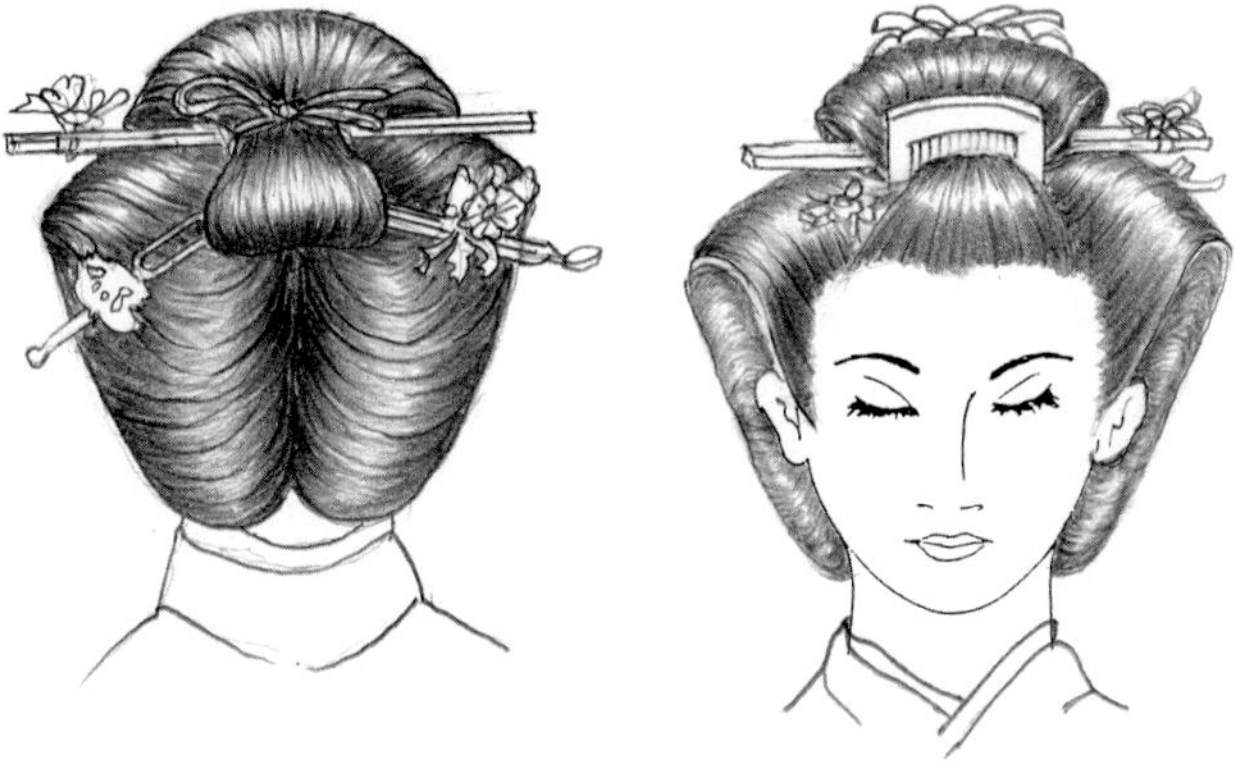

32 江戸時代後期◆奴島田(やっこしまだ) 武家

33 江戸時代後期◆勝山髷（かつやままげ） 武家

37 江戸時代後期◆先　笄（さっこう） 町家

38 江戸時代後期◆両　輪（りょうわ）町家

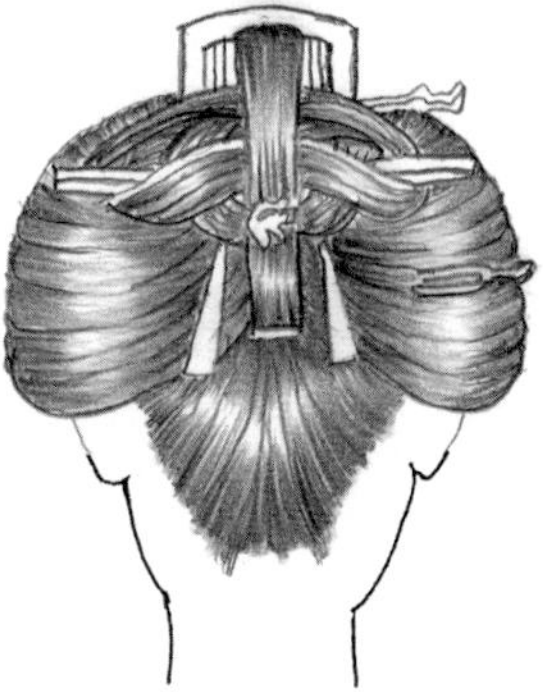

40 江戸時代後期◆結　綿（ゆいわた）町家

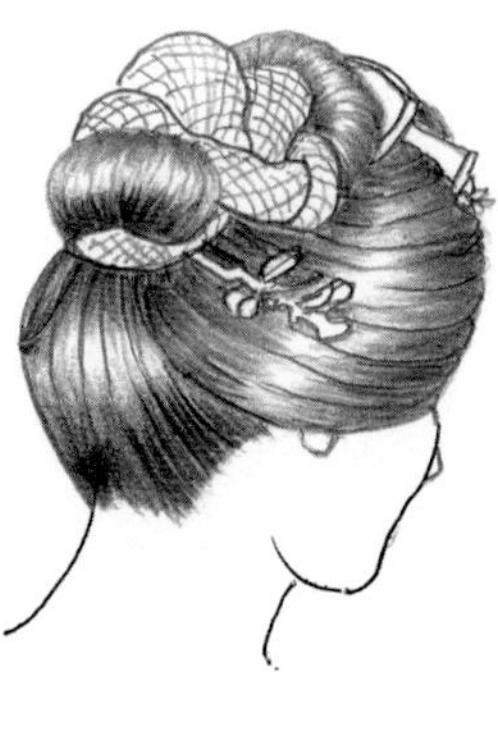

41 江戸時代後期◆おしどり 町家

48 明治時代◆束　髪(そくはつ)

54 大正時代◆耳かくし(みみかくし)

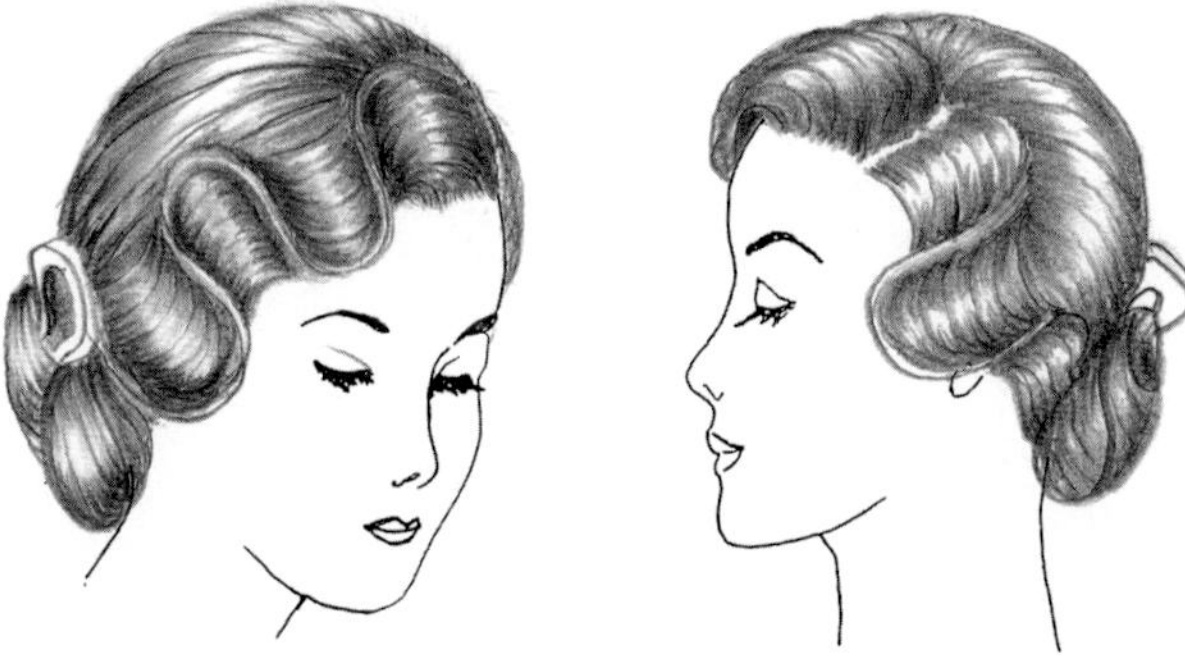

あとがき

この度、髪型・衣装の変遷、「櫛まつり」のあゆみを集大成し、これまでの歴史を記すべく装いも新たに発刊できる運びとなりましたことをまずは皆様方にお礼申し上げます。

美容師の一番大切な道具といえば櫛。折れてしまった櫛や使い古した櫛に感謝を捧げるとともに各時代の生活、風俗を探究することによって日本髪の心を学ぶ場として、今日まで「櫛まつり」を継承、発展させることができましたことはまことにうれしい限りでございます。この「櫛まつり」におきまして、確かな時代考証をもとに再現されて参りました『日本の髪型』は、遙か古墳時代より現代に至るまでの「美」の変遷を振り返ることのできるものと自負しております。

昔より女性は美しくなるための願いを込めて、ヘアスタイルに、メイクアップに、衣装に深い関心を持ってきました。日本民族が世界に誇り得る最高のファッションである「きもの」は、その色合い、柄、染め、素材の使い方で四季の変化を巧みに表現することのできる素晴らしいものであります。しかし、それだけでは美というものを表現することはできません。美しい髪型に洗練された化粧、見事な着物の着付け、身のこなし、作法など全てが一体化されて日本民俗文化の総合美が演出されるのです。そのための様々な手法・技は各時代ごとにそれぞれの様式を生み出してまいりました。

時代ごと、歴史ごとに移り変わってきた髪型。その時を生きた女性たちの心情が櫛にも静かに伝わってきます。この櫛に対する様々な思いは永遠に途切れることはありません。この思いを、独特な技を通して現代に甦らせ、その時代に生きた先人たちの美に対する深い願いを再認識するとともに、新たな美を見付け、現代に生かしていくことに私たちは最大の価値を見出しております。

時代が移り、そこに生きる人々が変わっても、美を追求してきた歴史は変わりません。「櫛まつり」とともに本書がその証となることを願い、京都美容文化クラブを代表いたしまして、皆様方へのお礼の言葉にかえさせていただきます。

最後になりましたが、時代考証に的確なるご指導をいただきました風俗研究家、日本画家の河村長観先生をはじめ、ニューカラー写真印刷株式会社　髙木太郎様、関係各位の皆様方に心より厚くお礼申し上げます。

京都美容文化クラブ会長　南　登美子

	時代別	伝統髪型と名称	髪型作者	モデル名	衣装提供
51	明治時代 1868～	鹿 鳴 館	奥田 英一	前田 純子	東映
52		鹿 鳴 館	福谷 伸	谷川 睦	東映
53	大正時代 1912～	束 髪	福谷 房子	林 泰子	福谷
54		耳かくし	三木 瑛子	松田真由美	TEIO
55		耳かくし	堀田 千鶴	岩井恵美子	川島
56	昭和時代 1926～	新日本髪	九鬼紀美代	土岡 礼子	九鬼
57		新日本髪	奥田 明子	奥田 由華	奥田
58	現代舞妓	割しのぶ	南 登美子	山本真由美	南
59		お 染	進藤 緑	新田亜香根	西村
60		お ふ く	城山弥千代	城山 由布	山中
61		結 綿	九鬼 春二	北川夕起子	山中
62		菊 重 ね	南 節子	江里 朋子	南
63		お 俊	山中恵美子	奥宮 佳奈	山中
64		勝 山	楠 京子	矢島 佳子	南
65		先 笄	西村かち栄	阪本 麻琴	西村

	時代別	伝統髪型と名称	髪型作者	モデル名	衣装提供
34	江戸後期 1801頃～	お さ 舟（武家）	笹島八千代	高島　豊子	TEIO
35		お さ 舟（武家）	桧作　久江	岡本　　玲	TEIO
36		島 田 髷（町家）	南　登美子	滝川　容子	福谷
37		先　　笄（町家）	田熊　文子	福嶋　美雅 田中　温子	TEIO
38		両　　輪（町家）	今井　弘子	星川美由紀	TEIO
39		娘 島 田（町家）	岡村美知子	稲田　典子	TEIO
40		結　　綿（町家）	村田　博子	山下　美佳	TEIO
41		おしどり（町家）	石村　　馨	山本麻梨子	TEIO
42		粋 書 髷（町家）	九鬼　春二	藤本　康子	TEIO
43		粋 書 髷（町家）	田熊　文子	井上　　愛	TEIO
44	明治時代 1868～	京風芸者	木村　美子	木村　友紀	南
45		稚 児 髷	島田　節子	木田　整子	南
46		結　　綿	進藤　　緑	宮本　尚子	じゅらく
47		揚げ巻き	筒井美代子	関　　眞弓	南
48		束　　髪	筒井美代子	永田　智子	南
49		桃 割 れ	荒賀　弘子	寺田　　礼	南
50		丸　　髷	西村かち栄	宮本　尚子	西村

	時代別	伝統髪型と名称	髪型作者	モデル名	衣装提供
17	江戸前期 1603〜	玉川島田	西野　時子	内田千恵子	TEIO
18		元禄勝山	南　　節子	高橋和嘉子	TEIO
19		元禄島田	山中恵美子	宇野由希子	南
20		笄　　髷	吉田のり子	吉田茄鶴代	TEIO
21		御所風髷	島田　節子	園山　由紀	TEIO
22	江戸中期 1716頃〜	横 兵 庫	山中恵美子	樋口　佳苗	TEIO
23		お　　梶	大林　和弘	石川　礼子	TEIO
24		春信風島田	南　登美子	畑下　仁美	山中
25		円山鬢島田	上田　米子	斎藤　陽子	TEIO
26		円山鬢笄髷	福谷　房子	林　　康子	南
27		丸　　髷	楠　　京子	畑下　仁美	TEIO
28		櫛 巻 き	茂田美栄子	橋本ほり江	南
29	江戸後期 1801頃〜	葵髱つぶ髷(公家)	木久　幸子	大上真季子	じゅらく
30		葵髱下げ上げ(公家)	北村　芳江	木下裕美子	南
31		片はずし(武家)	西村かち栄	田中佐代子	TEIO
32		奴 島 田(武家)	栗村　絢子	和田　　悠	田熊
33		勝 山 髷(武家)	宮崎しずの	小串　　薫	TEIO

作品目録

	時代別	伝統髪型と名称	髪型作者	モデル名	衣装提供
1	古墳時代 300〜	美 豆 良	宮崎しずの	白杉　知久 粟津　彰大	南
2		島 田 髷	西村　幸枝	松田　美保	南
3	奈良時代 710〜	樹下美人	夏地　博子	植西　悦子	TEIO
4		高　　髻	中蔵　恵美	阿江より子	TEIO
5		高　　髻	酒谷　恵子	原田和香子	TEIO
6		双　　髻	山田　真子	米田　尚子	じゅらく
7	平安時代 794〜	垂　　髪	南　登美子	山本　明子	TEIO
8		垂　　髪	山田　弘子	中島　邦子	じゅらく
9		白 拍 子	松浦　淑子	伊勢谷佳奈子	じゅらく
10	鎌倉時代 1192〜	虫の垂衣	大林　和弘	楠　　理恵	TEIO
11		侍　　女	進藤　　緑	富田真規子	じゅらく
12	室町時代 1335〜	巻　　髪	山中麻友美	岳下　由美	TEIO
13	桃山時代 1585〜	垂　　髪	楠　　京子	川瀬　琴乃	TEIO
14		唐　　輪	茂田美栄子	磯部真美子	TEIO
15	江戸前期 1603〜	立 兵 庫	西村　容子	池田美紀子	じゅらく
16		笄　　髷	加山　信子	加山　優子	じゅらく

日本の髪型

伝統の美　櫛まつり作品集　　京都美容文化クラブ

Traditional Japanese Coiffures

平成12年6月26日　初版発行
平成30年2月3日　8刷発行

定価はカバーに表示してあります。

文　河村長観
技術指導　南　登美子
山中恵美子
西村かち栄
写真イラスト　福谷　伸
編　集　京都美容文化クラブ
松木弘吉
発行者　南　登美子
発　行　京都美容文化クラブ
〒605-0089
京都市東山区大和大路通古門前下る　美容室エメラルド内
TEL 075-551-0127／FAX 075-561-8158
発　売　光村推古書院株式会社
〒604-8257
京都市中京区堀川通三条下ル橋浦町217-2
TEL 075-251-2888／FAX 075-251-2881
http://www.mitsumura-suiko.co.jp
印　刷　ニューカラー写真印刷株式会社

（落丁本・乱丁本はおとりかえします）

©京都美容文化クラブ　2000　　Printed in Japan

ISBN978-4-8381-9902-0　C5177